En route, Nicolas!

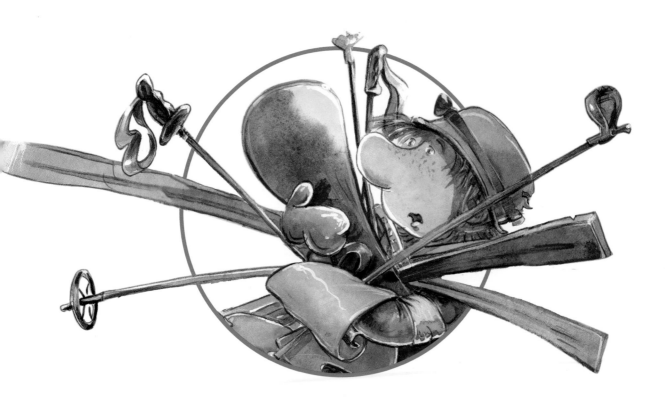

Texte de Gilles Tibo Illustrations de Bruno St-Aubin

SCHOLASTIC

Catalogage avant publication de Bibliothèque et Archives Canada

Tibo, Gilles, 1951-, auteur

En route, Nicolas! / Gilles Tibo ; illustrations de Bruno St-Aubin.

ISBN 978-1-4431-3687-7 (couverture souple)

I. St-Aubin, Bruno, illustrateur II. Titre.

PS8589.I26E48 2014   jC843'.54   C2014-902939-X

Édition publiée par les Éditions Scholastic, 604, rue King Ouest, Toronto (Ontario) M5V 1E1.

5 4 3 2 1   Imprimé au Canada 119   14 15 16 17 18

MIXTE
Papier issu de sources responsables
FSC® C103113

10%

À Marius

Bruno St-Aubin

Ce matin, tout excité, j'ouvre les yeux bien avant le **DRING! DRING!** du réveil. Je regarde dehors. **YAHOU! IL NEIGE!!!** Je quitte mon lit à toute vitesse.

J'ai tellement hâte de partir en vacances que, depuis trois jours, je joue, je mange et je dors avec mon sac à dos, mon caleçon long et mes bottes de planche à neige.

Je me précipite dans la chambre de mes parents. Ils dorment emmitouflés sous de grosses couvertures.

— Vite! Vite! Réveillez-vous! C'est l'heure de partir!

— Oui... Oui... Nicolas, soupire mon père. Laisse-nous dormir encore cinq minutes...

Je rentre dans la chambre de ma sœur à toute vitesse. Elle ronfle sous sa douillette.

— Vite! Vite! Réveille-toi! C'est aujourd'hui que nous partons en vacances!

— Oui... Oui... Nicolas, soupire ma sœur. Laisse-moi dormir encore cinq minutes...

Cinq minutes plus tard, personne n'a quitté son lit. J'empoigne une grosse louche et une casserole.

BING! BANG! BING! BANG!

— Réveillez-vous! Dépêchez-vous!

BING! BANG! BING! BANG!

— Vite! Vite! Je suis prêt! Je vous attends devant la porte!

J'attends et j'attends et j'attends. Pour passer le temps, je joue avec des foulards et des tuques de laine. Je construis des passages souterrains sous le tapis de l'entrée.

Ma sœur entre dans la cuisine. Soudain, comme un somnambule, mon père sort de sa chambre en bâillant, suivi par ma mère qui marche au ralenti.
Je leur crie :

— Vite! Vite! Vite! dépêchez-vous!
Les vacances commencent aujourd'hui!

9

En bâillant, mon père s'assoit à table. Après avoir bu un immense bol de café, il dit :

— Bon, avant de partir, il faut amener le chat chez la voisine. Il faut déneiger les entrées. Il faut aller chercher les skis, les planches à neige, les raquettes et les traîneaux dans le cabanon. Il faut charger les bagages dans l'auto. Il faut...

— Pas de problème, soupire ma sœur, je vais dormir en attendant le départ...

Elle retourne se coucher, mais moi, je ne
rouspète même pas. Je sais ce que je dois
faire si je veux partir aujourd'hui.

Je me déshabille en plein milieu de la cuisine.
Je fouille dans mon sac, puis j'enfile mon habit
de motoneige.

Je m'empare de la plus grosse pelle et je m'élance dehors. Il neige très fort. Je pousse et je lance la neige de chaque côté de l'entrée. Au bout de cinq minutes, je crève de chaleur. Je tremble de partout. J'ai chaud et j'ai froid en même temps.

Une fois l'entrée avant et l'entrée arrière nettoyées, je pars à la recherche du chat.

– MINOU! MINOU? MINOU!

14

Je le cherche sous le balcon, derrière mon bonhomme de neige, à l'intérieur de mon iglou, dans mon château de glace. Le chat a disparu! **C'EST LA CATASTROPHE!** Nous ne pourrons pas partir en vacances!

Soudain, un « miaou » vient du ciel. Le chat
est perché sur la plus haute branche de l'arbre.
Je l'appelle, mais il refuse de descendre.

Je refouille dans mon gros sac. Pour faire descendre Minou, je lui lance des chaussettes roulées en boule. Mais ça ne fonctionne pas. J'essaie avec des mitaines, des tuques et des foulards. Mais ça ne fonctionne toujours pas. J'en ai mal aux bras et aux épaules!

Je re-refouille dans mon gros sac. Je m'habille en alpiniste. Armé d'une longue corde et d'un casque protecteur, je grimpe au sommet de l'arbre.

En me balançant d'une branche à l'autre, je fais tomber tout ce qui traîne dans l'arbre. Après mille péripéties, j'attrape le chat. Puis, tout étourdi par les montées et les descentes, je l'emmène chez ma voisine.

De retour chez moi, je re-re-refouille dans mon sac. J'enfile mon habit d'explorateur. J'allume ma lampe frontale et je me précipite dans le cabanon.

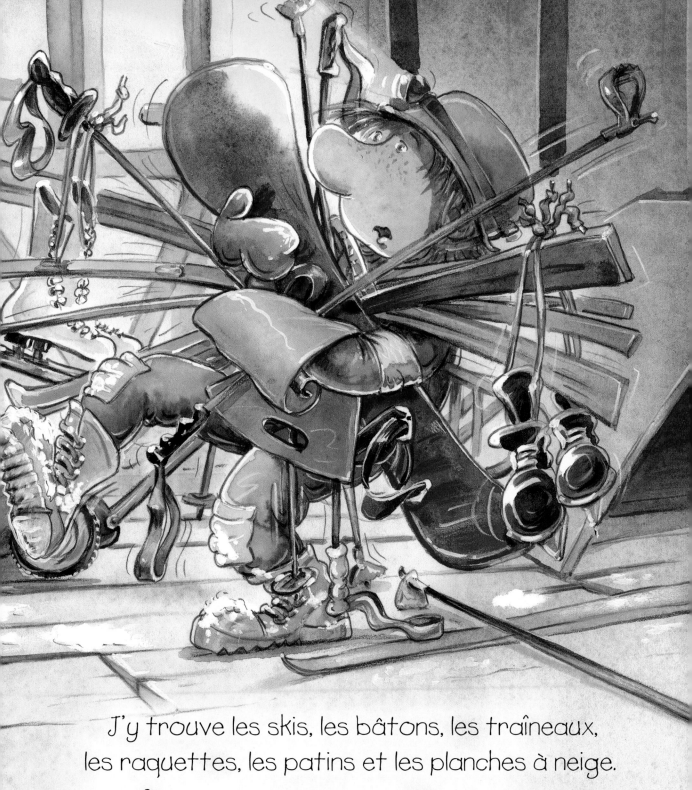

J'y trouve les skis, les bâtons, les traîneaux, les raquettes, les patins et les planches à neige.

FIOU! C'est lourd! C'est encombrant! J'en ai mal aux bras, au dos et aux genoux.

Soudain, ma mère m'appelle. Elle me donne de l'argent ainsi qu'une liste de choses à acheter :

— Vite! Vite, Nicolas, sinon nous ne partirons jamais!

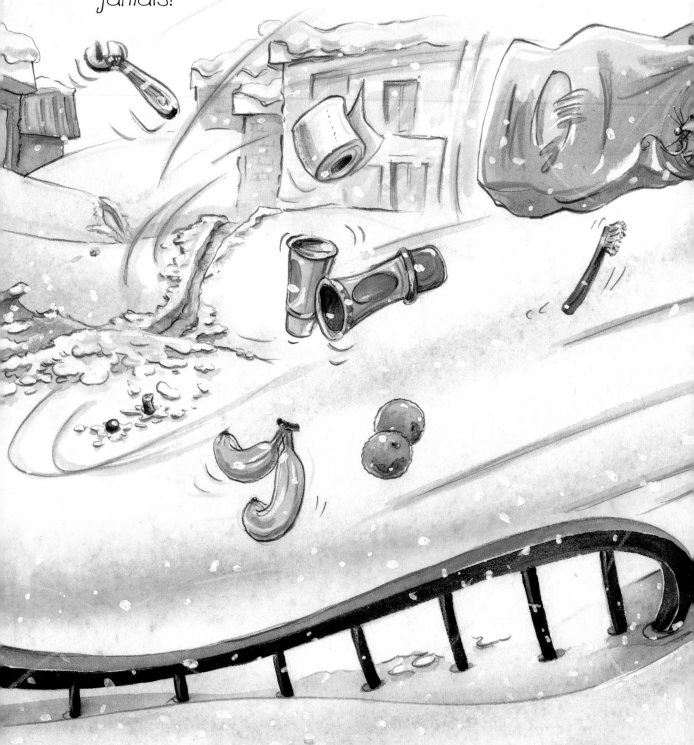

Je re-re-re-refouille dans mon gros sac. J'enfile
mon habit de planche à neige. À toute vitesse sur
ma planche, je glisse sur les gros bancs de neige
et je me rends à la pharmacie, à la fruiterie, à la
quincaillerie... **OUF!** Je reviens les bras chargés. Je
suis complètement, mais complètement exténué.

De retour à la maison, je demande :

— Est-ce qu'il y a autre chose à faire avant de partir?

— Oui! répond mon père, Il faut tout charger dans l'auto.

Le corridor est plein. Le vestibule est plein. Le balcon est plein et l'allée qui mène à l'auto est remplie de choses à emporter.

À bout de souffle, en marchant au ralenti, en culbutant mollement par-dessus les bancs de neige et en contournant lentement tous les obstacles, je remplis l'auto au maximum ainsi que le coffre et le support sur le toit. Je suis épuisé!

Ma mère, toute stressée, me demande
de réveiller ma sœur. Je me rends jusqu'à sa
chambre... sur les genoux. Elle ouvre un œil
et soupire :

— Ah? Déjà?

Gnn... Gnn... Gnn... Elle m'énerve ma sœur.

– Bon! En route, Nicolas! s'exclame mon père.

Nous nous installons dans l'auto. Le moteur vrombit.

Aussitôt, *ma mère lance* :

— J'ai tellement hâte de faire de la raquette!

— J'ai tellement hâte de faire de l'alpinisme! renchérit mon père.

— Et moi, de la planche sur les pistes abruptes! ajoute ma sœur.

Moi, à bout de forces,
je ne dis rien...

Fini les sports extrêmes! Je vais profiter
des vacances pour me reposer!